MARY VENTURA E O NONO REINO

SYLVIA PLATH

00001

mary ventura e o nono reino

sylvia plath

tradução
BRUNA BEBER

00003

Publicado em acordo com a Faber & Faber Limited.

Texto fixado conforme as regras do Acordo Ortográfico da Língua Portuguesa (Decreto Legislativo nº 54, de 1995).

Título original: *Mary Ventura and the Ninth Kingdom*

EDITOR RESPONSÁVEL Lucas de Sena Lima
ASSISTENTE EDITORIAL Lara Berruezo
PREPARAÇÃO DE TEXTO Isadora Sinay
REVISÃO Amanda Zampieri e Samuel Lima
PROJETO GRÁFICO Bloco Gráfico
ILUSTRAÇÃO DA CAPA Paola Saliby

CIP-BRASIL. CATALOGAÇÃO NA PUBLICAÇÃO
SINDICATO NACIONAL DOS EDITORES DE LIVROS, RJ

P777m
Plath, Sylvia
Mary Ventura e o Nono Reino / Sylvia Plath
Tradução: Bruna Beber
1ª ed. Rio de Janeiro: Biblioteca Azul, 2019

Tradução de: Mary Ventura and The Ninth Kingdom
ISBN 9788525068484

1. Ficção americana. I. Beber, Bruna. II. Título.

19-57201 CDD: 813
CDU: 82-3(73)

Vanessa Mafra Xavier Salgado, bibliotecária, CRB-7/6644

1ª edição, 2019

Direitos exclusivos de edição em língua portuguesa para o Brasil adquiridos por Editora Globo S.A.

Rua Marquês de Pombal, 25
20230-240 — Rio de Janeiro — RJ
www.globolivros.com.br

00004

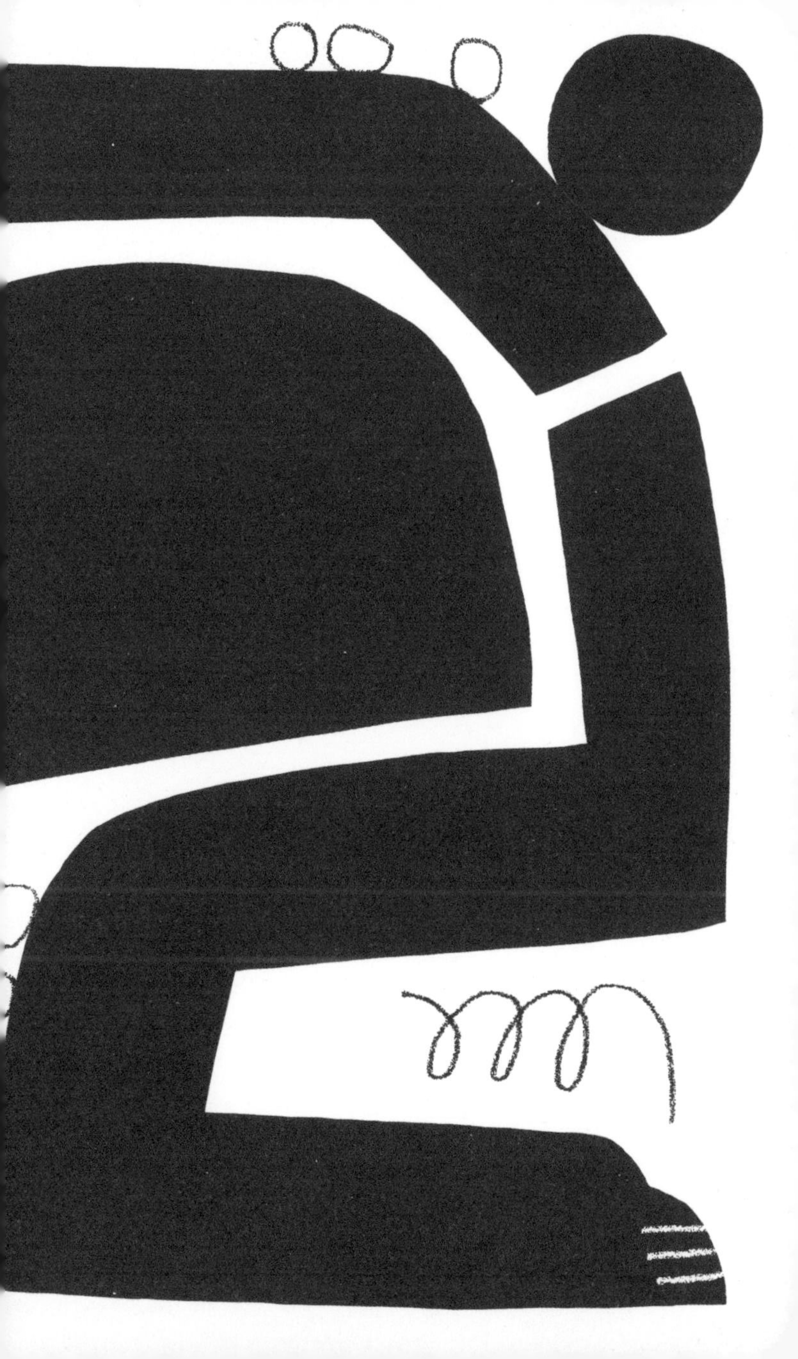

M*ary Ventura e o Nono Reino* foi escrito por Sylvia Plath aos vinte anos, em 1952, quando ainda era estudante da Smith College, em Northampton, Massachusetts.

A verdadeira Mary Ventura foi uma amiga de colégio da autora. Sylvia Plath já havia escrito uma história anterior sobre ela, como trabalho de Escrita Criativa em seu segundo ano na Smith College. Essa história, amplamente autobiográfica, narrava a vida de duas velhas amigas de escola que se conheceram durante as férias e não tinha nada em comum com a história aqui publicada, exceto pelo nome da personagem: Mary Ventura.

Em dezembro de 1952, Plath terminou de escrever esta história—em suas palavras, "uma fábula simbólica e obscura"—e a enviou para publicação na revista *Mademoiselle*, cujo prêmio de escrita havia recebido recentemente. O conto foi rejeitado.

Dois anos mais tarde, Plath revisou a história, mudando o título para "Marcia Ventura e o Nono Reino" e tornando-a menos sinistra, reduzindo sua forma de maneira tão expressiva que chegou a parecer inacabada.

A versão apresentada aqui é a do original rejeitado—o mais brilhante e, na opinião de seus editores, o melhor.

Luzes vermelhas de neon piscaram automaticamente e uma voz chiou no alto-falante:

— O trem está de partida, plataforma três... Trem de partida para... O trem já vai partir.

— Esse deve ser o seu trem — disse a mãe de Mary Ventura. — Só pode ser, querida. Apresse-se. Vá. Está com o bilhete em mãos?

— Sim, mãe, está comigo. Mas tenho de partir agora? Tão cedo?

— Você sabe como são os trens — disse o pai de Mary Ventura, disfarçado em seu chapéu de feltro cinza, como se viajasse escondido. — Os trens são assim. Eles não esperam.

— Sim, pai, eu sei.

O longo ponteiro preto do relógio de parede encurtou mais um minuto. As pessoas corriam de um lado a outro para pegar seus trens. Acima, a abóboda da estação se insinuava como a cúpula de uma enorme catedral.

— Trem de partida na plataforma três... Trem de partida para... O trem já vai partir...

— Depressa, querida — disse a sra. Ventura, segurando Mary pelo braço e a empurrando pelo corredor de paredes de mármore reluzentes do terminal ferroviário. O pai de Mary a acompanhava carregando a mala. Outras pessoas também se apressavam em direção ao portão de número três. Um maquinista de uniforme preto e rosto sombreado sob a pala do quepe conduzia a multidão pela emaranhada grade preta do portão de ferro até o interior da plataforma.

— Mãe — disse Mary, hesitante, ao ouvir o silvo espantoso do motor se aquecendo sobre os trilhos. — Mãe, eu não posso partir hoje. De jeito nenhum. Ainda não estou pronta para fazer essa viagem.

— Que bobagem, Mary — disse o pai, espirituoso. — Você só está nervosa. Não é um suplício viajar para o Norte. Você entra no trem e não precisa se preocupar com nada até chegar ao fim da linha. Lá o maquinista lhe dirá aonde ir.

— Agora vamos, seja uma boa menina. — A mãe de Mary escondeu uma mecha loira de cabelo sob seu chapéu de veludo preto. — Será uma viagem tranquila. A hora da partida chega para todos. Mais cedo ou mais tarde, todos vão embora.

Mary fraquejou.

— Ah, certo, tudo bem. — Ela se deixou conduzir pelas forjas dos portões de ferro em direção à plataforma de cimento, onde o ar era puro vapor.

— Extra, extra — os jornaleiros anunciavam as manchetes, vendendo jornais nas portas do trem. — Extra... dez mil pessoas condenadas... mais de dez mil pessoas...

— Não é nada — sussurrou a mãe — nada de mais, não se preocupe.

Ela se enfiou no meio da multidão caótica e Mary seguiu seu rastro em direção ao penúltimo vagão do trem. Havia uma longa fileira de assentos felpudos vermelhos, a cor de vinho saltava sob as lâmpadas radiantes do teto, e o acolchoado do vagão era arrematado por pregos de cobre.

— Que tal este assento aqui do meio? — O sr. Ventura não esperou uma resposta, já empurrando a mala no compartimento de bagagens. Então se afastou. A sra. Ventura levou um lenço à boca pintada de vermelho e começou a dizer algo, mas se conteve. Não havia, afinal, mais nada a dizer.

— Adeus — disse Mary com uma ternura programada.

— Adeus, querida. Faça uma boa viagem. — A sra. Ventura se abaixou para lhe dar um beijo vago e preocupado.

O sr. e a sra. Ventura deram as costas e começaram a se distanciar, então, voltaram pelo corredor e se retiraram pela porta de entrada, que estava aberta. Mary acenou, mas já haviam ido embora e não viram seu aceno. Ela escolheu o assento da janela, tirou o casaco vermelho e o pendurou no gancho de cobre ao lado do caixilho. Os demais passageiros já estavam quase todos acomodados, mas alguns ainda vagavam pelo corredor à procura de assentos.

Uma mulher de casaco azul segurando um bebê enrolado em uma manta branca encardida parou próximo ao assento de Mary por alguns instantes, então caminhou em direção ao final do vagão, onde havia mais espaço.

—Esse assento está ocupado?

A mulher chegara atabalhoada pelo corredor, corada e esbaforida, segurando uma bolsa cor de terra. Seus olhos azuis se espremeram num amontoado de rugas e sua boca, grande e generosa, se arreganhou num sorriso.

—Não, não tem ninguém sentado aqui.

Mary lhe sorriu de volta sem esforço. Ela se recostou à janela e observou a mulher tirar o chapéu marrom surrado e a capa marrom.

—Ufa—sussurrou a mulher, afundando no assento vermelho felpudo.—Pensei que não chegaria a tempo desta vez. O trem já está quase partindo.

O motor arquejou, estremeceu e parou.

— A bordo... Todos a bordo! — gritou uma voz da plataforma. A porta do vagão bateu e travou com um clique, fechando todos do lado de dentro.

— Enfim — disse a mulher —, a partida. — O vapor emanou do outro lado da vidraça enquanto o trem estrepitava devagar sobre os trilhos, e já não era possível ver além das nuvens de fumaça e cinzas.

A mulher tirou de dentro de sua bolsa um tricô, o começo de uma peça macia confeccionada em lã verde-folha.

— Uau — exclamou Mary. — Que lindo. O que vai ser?

— Um vestido, em algum momento. — A mulher mediu Mary com os olhos semicerrados. — Para uma menina que tem as mesmas medidas que você.

— Tenho certeza de que ela vai amar.

A mulher olhou para Mary com um sorriso despretensioso.

— Espero que sim — disse ela, e ficou em silêncio.

O trem ainda se arrastava pelo túnel escuro quando uma briga começou no assento à frente delas. Dois garotinhos estavam sentados, e, do outro lado do corredor, a mãe deles lia uma revista. Eles estavam brincando com soldadinhos de chumbo.

—Me dá isso aqui—o garoto mais velho, de olhos negros, disse ao irmão.—É meu. Você pegou meu soldado.

—Eu não—disse o meninote loiro e pálido.—Eu não peguei nada.

—Pegou, sim. Eu vi.—O mais velho pegou um soldadinho de chumbo e martelou a testa do irmão.—Toma! Bem feito.

Sangue escorreu de uma ferida arroxeada. O mais novo começou a choramingar.

— Eu te odeio — queixava-se. — Eu te odeio.

A mãe prosseguia na leitura da revista.

—Ei, vocês dois, chega—disse a mulher sentada ao lado de Mary, por cima do encosto do assento deles. Ela estendeu o braço para limpar de leve o sangue que escorria da testa do mais novo com a bainha do lenço de linho branco.—Vocês, rapazes, deviam estar envergonhados por fazer tanta arruaça sem motivo. Só por causa de dois soldadinhos de chumbo, ora.

Os garotos responderam à bronca fazendo beicinho e recomeçaram a brincadeira em silêncio.

A mulher se recostou no assento novamente.

—Eu não sei qual é o problema das crianças de hoje. Elas estão cada vez mais mal-educadas—disse, e continuou a tricotar. Do lado de fora, viu-se um súbito clarão de luz.

—Olha—disse Mary—, já cruzamos o túnel.

O trem se lançara nas sombras da tarde cinzenta e os campos outonais desolados se espichavam de ambos os lados dos trilhos para além dos canteiros de concreto. No céu, dependurava-se um disco laranja achatado, o sol.

— O ar é tão denso e esfumaçado!— exclamou Mary.—Eu nunca tinha visto o sol com essa cor esquisita.

— São as queimadas florestais — respondeu a mulher. — Nesta época do ano, a fumaça sopra do Norte. Vai acontecer mais vezes durante a viagem.

Um barraco de madeira com as janelas cobertas por tábuas brotou na margem dos trilhos e logo minguou a distância.

— Por que aquela casa está ali, tão longe de tudo?

— Não era uma casa. Costumava ser a primeira estação de trem, mas agora está fechada porque foi desativada. O trem que fazia essa linha se tornou praticamente um expresso.

Embalada pela cadência do trem, Mary olhava pela janela. Em um dos campos de milho, um espantalho chamou sua atenção, estacas cruzadas lhe davam sustentação e a palha do milho apodrecia a seus pés. O casaco de estopa esfarrapado tremulava ao vento, vago e sem corpo. E, abaixo da figura ridícula, corvos pretos saracoteavam, bicando grãos no solo ressecado.

O trem ganhou velocidade.

— Acho que vou tomar uma xícara de café no vagão-restaurante — disse a mulher para Mary. — Quer ir comigo?

— Claro — disse Mary —, claro, preciso esticar as pernas.

As duas se levantaram e andaram pelo corredor até o vagão seguinte. Era o vagão de fumantes e o ar espesso fez os olhos de Mary arderem. Havia mesas de cartas coladas às janelas e a maioria dos homens jogava pôquer. Garçons de uniforme branco deslizavam para cima e para baixo com bandejas, servindo bebidas. O som era de gargalhadas e de cubos de gelo tilintando nos copos.

— O próximo vagão é o do restaurante — disse a mulher, olhando para trás. Ela empurrou a porta, cruzou a plataforma oscilante, entrou no vagão seguinte e Mary a seguiu logo atrás.

Em sofás de veludo vermelho, os comensais reclinavam, comendo maçãs e ameixas e uvas de estufa dispostas em tigelas de frutas sobre mesas de madeira polida. Música ambiente letárgica saía de um alto-falante escondido em algum lugar da parede.

A mulher parou diante de uma mesa para dois e fez um sinal para que Mary se sentasse.

— Posso anotar seu pedido? — perguntou o garçom negro vestido com um terno branco feito sob medida, o lápis na mão sobre um bloco de papel. Mary sequer o vira se aproximar da mesa. Ele já havia servido água gelada para as duas.

— Acho que vou querer um copo de refrigerante — disse Mary.

— Eu vou querer o de sempre — disse a mulher, sorrindo para o garçom.

— Ótima pedida... café, creme e açúcar. — O garçom negro lançou um sorriso largo para a mulher e rabiscou hieróglifos em sua comanda de papel.

O pedido chegou, o café fumegava em uma xícara de cerâmica verde e o refrigerante, em um copo alto com uma cereja no fundo, efervescia em pequenas bolhas prateadas.

— Que delícia! — exclamou Mary. — Eu nunca estive num vagão-restaurante antes. É tão luxuoso.

— Sim — concordou a mulher, aquecendo as mãos sobre a xícara com o líquido marrom fumegante. — Sim, eles fazem o possível para que a viagem seja a mais agradável possível.

Enquanto bebia seu refrigerante, Mary se sentiu relaxada naquela agradável comodidade. Na sutil luz indireta, os sofás acolchoados eram de um vermelho quente, e a música que saía do alto-falante oculto era constante e cadenciada. Mary deu o último gole no refrigerante e virou o copo até a cereja rolar para sua mão. Jogou a cereja na boca e mordeu a fruta açucarada.

Na paisagem do lado de fora da janela, o sol alaranjado naufragava no oeste cinzento. Parecia menor que da última vez que

Mary o percebera, e o laranja se agravava em vermelho.

— Nossa, está entardecendo rápido demais — observou Mary, fitando a paisagem árida e escura.

— Mal se nota a passagem do tempo nesta viagem — assentiu a mulher. — É muito confortável aqui no trem. Mas acabamos de passar pela quinta parada, isso significa que em breve entraremos no túnel mais comprido. Vamos voltar para o nosso vagão?

— Sim, vamos. Pagamos agora?

— Não — disse a mulher. — Eles vão colocar seu pedido na conta que é paga no final da viagem.

Ela se levantou e caminhou em direção ao vagão, os pés tocando o chão com firmeza, um depois do outro, pelo corredor oscilante do trem em alta velocidade.

Já de volta aos assentos, a mulher recomeçou seu tricô e Mary, de maneira ociosa, assistia à passagem das terras inférteis. No fundo do vagão, o bebê começou a chorar, manhoso e petulante. Três empresários apareceram no corredor, vindos do bar, rindo e cambaleando com o movimento do trem. As luzes no teto pareciam estrelas rígidas e turvas.

— Pirralho malcriado — disse um dos homens.

— É mesmo — disse outro homem, e, sob seus chapéus de feltro cinza, os três homens pareciam a mesma pessoa. Desastrados, cambaleando, atravessaram o carro aos solavancos, e o bebê continuou a chorar como se fosse chorar para sempre.

Então o trem disparou por outro túnel. Rochas escuras se empilhavam em silêncio e passavam ligeiras pela janela, e as rodas marcavam o tempo como as engrenagens de um imenso relógio.

Um vendedor abriu a porta dianteira do vagão e desfilou oscilante e lentamente pelo corredor, gritando "Olha a bala, pipoca, amendoim, quem vai querer bala, pipoca, amendoim...".

— Aqui — disse a mulher, abrindo sua bolsa marrom e sacando uma carteira surrada. — Vou comprar chocolate para nós duas...

— Ah, não! — protestou Mary — Por favor, deixa que eu pago.

— Bobagem, querida — disse a mulher. — É um agrado. Esse chocolate vai suprir sua vontade de comer doces. E ainda sobra um dinheirinho para o resto da viagem.

O vendedor parou ao lado das poltronas e deixou seu boné vermelho na altura da testa, tateando com os dedões o colete de seda listrada em vermelho e branco.

— O que vai querer? — disse ele, com uma voz casual e entediada. — Olha, temos aqui... — Ele se interrompeu, olhou atentamente para a mulher e se escangalhou de rir.

— Você nesta viagem de novo? — disse, agora com um tom de voz mais baixo e confidencial. — Não tem nada pra você aqui, você sabe. Tudo é assinado, selado e entregue. Assinado, selado e entregue.

— Eu não teria tanta certeza, Bert — disse a mulher, sorrindo cordial. — De vez em quando, até os contadores se enganam.

— Os contadores, talvez, o chefe, nunca — disse Bert, sacudindo a bolsa preta com um sorriso malicioso. — Foi o chefe que cuidou de tudo. Pessoalmente desta vez, pessoalmente.

A mulher caiu na gargalhada.

— É, acredito que sim, depois do erro que cometeu na última viagem, tentando levar a coisa para outro patamar. Pois agora ele não conseguiria expulsar aquelas pessoas dos canteiros se tentasse. Elas foram arrancadas dos parques como crianças, alegres como cotovias. Você acha que elas ainda acatariam suas ordens e retornariam às vias subterrâneas, ao lugar que lhes cabe? Agora não mais.

Bert fechou a cara como um macaco.

— É — disse ele, desanimado. — É, eu acho que alguma hora você precisa receber uma porcentagem.

— É por isso que estou aqui — disse a mulher. — E vou querer uma barra de chocolate.

— Pequena ou grande?

— A grande — respondeu a mulher, e lhe deu uma moeda.

— O.k., adeus — disse Bert, tocando o boné em reverência. — Boa sorte — completou, e continuou cambaleante pelo corredor, entoando sua cantilena entediante — Bala, pipoca, amendoim...

— Pobre Bert — comentou a mulher com Mary, abrindo o chocolate sem rasgar o frágil papel prateado. — Ele nunca tem com quem conversar no trajeto. É uma viagem tão longa que dificilmente alguém a faz duas vezes.

Ela tirou um pedaço do chocolate e entregou o resto do retângulo achatado para Mary. O cheiro suntuoso do chocolate perfumou o ar.

— Hmm — disse Mary — que cheiro bom. Ela deu uma mordida e deixou o doce se dissolver em sua língua, sugando a doçura e deixando a calda escorrer pela garganta. — Você parece conhecer bem essa viagem — disse Mary para a mulher. — Você viaja muito?

— Nossa, demais. Se bem lembro, rodo por aí desde sempre. Mas esta é a viagem que faço com mais frequência.

— Não deveria me espantar. De fato, é uma viagem confortável. Eles fazem tantos mimos, como os lanchinhos de hora em hora, as bebidas na sala de jogos, o ambiente relaxante do vagão-restaurante. É quase tão bom quanto um hotel.

A mulher lançou-lhe um olhar agudo:

— Sim, minha querida — disse, indiferente —, mas lembre-se de que você paga por tudo isso. Você paga a conta no final. O negócio deles é transformar a viagem em algo atraente. O interesse da companhia de trens vai além da simpatia.

— É, você tem razão — reconheceu Mary, com um sorriso. — Eu não tinha pensado dessa maneira. Mas, me diga, o que vai acontecer quando sairmos do trem? Eu não consigo imaginar. Os panfletos de viagem não dizem nada sobre o clima ou sobre as pessoas que vivem no Norte, não dizem absolutamente nada.

A mulher se debruçou sobre o tricô, subitamente empenhada. Havia um nó na linha. Ela depressa endireitou a lã e continuou costurando.

— Você vai até o fim da linha, pelo que entendi — disse ela.

— Isso mesmo, o fim da linha. Papai disse que eu não precisava me preocupar com conexões nem nada do tipo e que o maquinista me diria aonde ir quando chegasse.

— Última estação — murmurou a mulher. — Tem certeza?

— Tenho. Pelo menos é o que está escrito no bilhete. É um bilhete tão estranho que me chamou a atenção o número em vermelho e preto. Nono Reino, ele diz. É um jeito curioso de nomear estações ferroviárias.

— A gente se acostuma depois de um tempo — disse a mulher, como se falasse sozinha. — E também com todas as categorias, subdivisões e nomenclaturas. Tudo muito arbitrário, é assim que é. Arbitrário. Mas ninguém parece se dar conta disso mais. Bastaria um pequeno movimento, um sinal favorável, e toda a estrutura desabaria, entraria em colapso.

— Não entendo muito o que isso significa — disse Mary.

— Claro que não, claro que não, minha querida. Eu me perdi em pensamentos. Eu estava falando ao léu. Mas, me diga, você notou, nesse tempo que passou sentada aí, algo de incomum nas pessoas que estão neste trem?

— Como assim? — disse Mary devagar, olhando ao redor. — Como assim? — repetiu, encafifada. — Parece que estão todos bem.

A mulher suspirou:

— Acho que estou muito sensível então — disse ela.

O neon vermelho piscou do outro lado da janela, o trem diminuiu a velocidade e estremeceu ao parar na estação do Sexto Reino.

A porta se abriu e a escada do maquinista nivelou-se ao corredor para que a mulher loira com a boca pintada de vermelho subisse. Ela empalideceu, ajeitou seu casaco de pele sobre o corpo e recuou.

— Ainda não — disse ela. — Desculpa, eu errei. Não é a minha parada. Ainda falta.

— Deixa eu ver seu bilhete — disse o maquinista, e a mulher umedeceu os lábios, da cor de sangue.

— Eu perdi. Não sei onde está — disse ela.

— Está no segundo dedo da sua luva direita — disse o maquinista, inexpressivo —, onde você o escondeu quando entrei aqui.

Raivosa, a mulher tirou a luva da mão direita, pegou o canhoto vermelho de papelão e entregou ao maquinista. Ele marcou o bilhete com o perfurador, fez um rasgo e entregou-lhe o pedaço menor.

— Sua baldeação para a travessia do rio — disse ele. — É melhor você ir agora.

A mulher ficou paralisada. O maquinista lhe estendeu a mão e segurou seu braço.

— Eu sinto muito — disse ele —, mas você tem que ir agora. Não podemos perder tempo nesta viagem. Temos um cronograma a seguir. E um limite de passageiros.

— Estou indo — enfadou-se a mulher, carrancuda. — Mas solte meu braço. Isso dói. Queima.

Ela se levantou e caminhou pelo corredor, sua saia de lã carmesim balançava e dançava entre as pernas, e ela estava de cabeça erguida, desafiadora. Do lado de fora, na plataforma, dois guardas da estação esperavam por ela. Sob o clarão do neon vermelho, eles conduziram a mulher, um de cada lado, em direção ao portão gradeado da saída.

O maquinista averiguou o vagão mais uma vez, esfregando a testa com um enorme lenço vermelho de seda. Ele parou em frente ao assento de Mary e sorriu para a mulher. Seus olhos eram negros, insondáveis, mas logo se salpicaram pelos espinhos gélidos do riso.

— Normalmente não temos tantos problemas com os passageiros quando é a hora de descer — disse para a mulher.

Ela lhe sorriu de volta, mas sua voz era terna, pesarosa.

— Geralmente eles nem protestam. Aceitam a hora que chega.

— Aceitam o quê? — disse Mary, olhando com curiosidade para os dois, lembrando-se da aparência assustada da mulher loira, a boca molhada, o vermelho vivo do sangue.

O maquinista piscou para a mulher e se afastou pelo corredor, as luzes acesas como velas nos soquetes da parede e, arqueada sobre todos, a abóboda de metal do vagão. A luz vermelha da estação entrava pelas janelas e tingia o rosto dos passageiros de um escarlate fugidio. Então o trem arrancou novamente.

— Aceitar o quê? — insistiu Mary. Ela estremeceu num arrepio inconsciente, como se fosse atingida por uma corrente de ar gelado.

—Está com frio, querida?

—Não—disse Mary.—Aceitar o quê?

— O destino — respondeu a mulher, apanhando o tricô repousado sobre o colo e recomeçando a teia de lã verde. Com habilidade, ela espetou a agulha no tecido em desenvolvimento, volteou a linha e a colocou na agulha. Mary observou a destreza e competência de suas mãos. — Os passageiros compram seus bilhetes—continuou a mulher, contando silenciosamente os pontos da agulha.—Eles compram seus bilhetes e têm a obrigação de descer na estação correta... Eles escolhem o trem e a linha, e viajam até seu destino.

—Eu sei. Mas aquela mulher. Ela parecia tão assustada.

—É, às vezes os passageiros ficam assustados. A famosa comichão da última hora. A consciência desperta tarde demais, então se arrependem da compra do bilhete. O arrependimento não ajuda em nada. Deveriam pensar melhor antes de fazer a viagem.

— Ainda não entendo por que ela não pôde mudar de ideia e desistir de desembarcar. Ela poderia ter acertado o valor ao final da viagem.

— A companhia ferroviária não permite que isso seja feito nesta viagem — disse a mulher. — Causaria muita confusão.

Mary suspirou.

— Bem, pelo menos os demais passageiros parecem satisfeitos.

— Parecem, não é mesmo? Esse é o horror.

— Horror? — disse Mary, aumentando o tom de voz. — O que você quer dizer com horror? Tudo em você ressoa mistério.

— É muito simples. Os passageiros são tão *blasé*, tão apáticos, que não ligam para onde estão indo. Eles não se preocupam até que a hora chega, no Nono Reino.

— Mas o que é esse Nono Reino? — exclamou Mary, petulante, o rosto angustiado, como se estivesse prestes a desfazer-se em lágrimas. — O que há de tão terrível no Nono Reino?

— Calma, querida — consolou a mulher —, coma mais um pouco de chocolate. Eu não vou conseguir comer tudo sozinha.

Mary quebrou um pedacinho e colocou na boca, mas sentiu um gosto amargo na língua.

— Você será mais feliz se não souber — disse a mulher, com delicadeza. — Quando você estiver lá, não vai ser tão ruim. A viagem é longa dentro do túnel e o clima muda gradualmente. A dor não é tão intensa quando se é resistente ao frio. Olhe pela janela. O gelo começou a se formar nas paredes subterrâneas e ninguém percebeu nem reclamou.

Mary olhou pela janela, as paredes escuras passando batidas. Riachos cinzentos de gelo correndo pelas rachaduras das pedras. A superfície congelada captou a luz do trem e reluziu como se aninhasse muitas agulhas de prata.

Mary sentiu um arrepio.

— Se eu soubesse, não teria vindo. Eu não vou ficar lá. Não vou — exclamou ela. — Vou pegar o próximo trem de volta para casa.

— Esta linha não faz viagens de volta — disse a mulher, suavemente. — Uma vez que você chega ao Nono Reino, não tem como voltar. É o reino da negação, da vontade petrificada. São muitos os nomes.

— Não quero saber. Vou descer na próxima parada. Não vou ficar neste trem com essas pessoas pavorosas. Não sabem e nem querem saber aonde estão indo?

— Eles estão cegos — disse a mulher, olhando fixamente para Mary. — Eles estão cegos de tudo.

— E você — exclamou Mary, demonstrando raiva —, suponho que você também esteja cega! — Sua voz espiralou, alta e estridente, mas ninguém prestava atenção. Ninguém se virou para olhá-la.

— Não — disse a mulher, com uma ternura repentina —, cega, não. Nem surda. Mas sei que este trem não vai fazer mais paradas. Nenhuma parada programada até chegarmos ao Nono Reino.

— Mas você não entende — o rosto de Mary se vincou e ela começou a chorar. Lágrimas encharcadas e escaldantes escorreram entre seus dedos. — Você não entende. Não é culpa minha estar neste trem. É dos meus pais. Eles queriam que eu viesse.

— No entanto, você deixou que comprassem o bilhete para você — continuou a mulher. — Você permitiu que te colocassem neste trem, não foi? E aceitou sem se rebelar.

— Ainda assim, a culpa não é minha — exclamou Mary, com veemência, mas os olhos da mulher já estavam pousados sobre ela, acima do nível do mar de reprovação, e Mary sentiu que afundava, afogava-se na culpa. O vai e vem das rodas do trem açoitou seus pensamentos. Culpa, as rodas do trem garganteavam como melros roliços, culpa, culpa, culpa.

Culpa, dizia o tique das agulhas de tricô.

— Você não entendeu — recomeçou Mary — Por favor, deixe-me explicar. Eu tentei ficar em casa. Eu não queria vir, de modo algum. E na estação eu quis dar meia-volta.

— Mas não deu — disse a mulher e, enquanto enrolava a lã verde, seus olhos eram tristes. — Você escolheu não voltar, e agora não há mais nada que possa fazer.

De repente, Mary aprumou o corpo na poltrona, tentando enfocar através das lágrimas.

— Ah, mas é claro que há! — disse ela, desafiadora. — Ainda há uma coisa a ser feita. Eu vou descer de qualquer maneira, enquanto ainda é tempo. Vou puxar o cabo de emergência.

A mulher abriu um sorriso repentino e radiante, seus olhos se iluminaram de admiração:

— Ah — sussurrou —, muito bem. Você é corajosa. Acertou na mosca. Esse é o único jeito. A última afirmação da vontade. Cheguei a pensar que sua vontade estava petrificada. Mas ainda resta uma chance.

— O que você quer dizer com isso? — disse Mary, recuando, desconfiada. — O que significa isso, uma chance?

— Uma chance de escapar. Ouça-me bem, estamos nos aproximando da sétima estação. Eu conheço bem esta viagem. Ainda há tempo. Vou avisar quando for a melhor hora de puxar o cabo e aí você corre. A plataforma da estação vai estar vazia. Eles não preveem embarques e desembarques de passageiros nesta viagem.

— Como você sabe? Como sei que posso confiar em você?

— Ah, criança sem fé — a voz da mulher era de uma ternura abundante. — Eu estive do seu lado esse tempo todo. Mas eu não podia dizer nada. Eu não podia ajudar você até que tomasse a primeira decisão mais assertiva. Essa é uma das regras.

— Regras, que regras?

— As regras que constam no livro da companhia de trem. Toda empresa tem suas leis. São mandamentos que garantem que tudo corra conforme o esperado.

A mulher prosseguiu sua explanação.

— Estamos nos aproximando da estação do Sétimo Reino. Caminhe pelo corredor até a parte traseira do vagão. Ninguém vai ver. Lá, puxe o cabo de emergência, e não hesite, não importa o que aconteça. Então, corra.

— Mas e você — disse Mary —, você não vai me acompanhar?

— Eu? Eu não posso ir com você. Você precisa escapar por conta própria, mas não se preocupe, vou reencontrá-la em breve.

— Mas como? Eu não entendo. Você disse que não há retorno. Você disse que ninguém consegue sair do Nono Reino.

— Há exceções — disse a mulher, sorrindo. — Eu não tenho que obedecer a todas as leis. Só às leis da natureza. Você precisa se apressar. Estamos nos aproximando da estação, chegou a hora.

— Espere, preciso de um minuto. Preciso pegar minha mala. Tudo que é meu está lá dentro.

— Deixe a mala para trás — instruiu a mulher. — Você não vai precisar dela. Ela só dificultaria sua partida. Vá, corra, corra como o vento. — A voz da mulher baixou de tom. — Você vai encontrar uma porta de entrada vivamente iluminada. Não saia por ela. Suba a escada, mesmo que pareça sombria, mesmo que lagartos passeiem por lá. Vai confiar em mim e escolher a escada?

— Sim — disse Mary, passando por cima dos pés da mulher em direção ao corredor. — Sim.

Ela fez uma caminhada lenta e casual até a traseira do vagão. Ninguém estava vigiando. No final do corredor, estendeu a mão e puxou o cabo rotulado "Emergência" pregado na parede.

No mesmo instante, a sirene estardalhaçou pelo trem, quebrando o silêncio. Mary abriu a porta e escapou pela plataforma oscilante entre os vagões. As engrenagens rangeram, um guincho de metal carneando metal, e, numa guinada, o trem parou.

Era a plataforma do Sétimo Reino, e estava abandonada. Com um salto, Mary pulou os três degraus para fora do trem, e o chão de cimento causou um remate de dor na sola dos pés. Então houve gritos, os maquinistas gritavam no trem.

—Ei, Ron, algum problema?—a voz era rouca. Lanternas de luz vermelha percorriam os vagões.

—Problema, Al? Pensei que tinha sido você.

À frente havia uma porta de entrada cravejada de luzes brilhantes de neon vermelho, e, ao longe, o invocante som de um *jazz* sincopado. Não, a porta, não. Do lado direito, se erguia uma escada ameaçadora e estreita. Mary se virou e correu em direção a ela, o eco de seus passos ricocheteava nas paredes de pedra. Sob suas costelas, a respiração presa, sufocada, dolorida. Os gritos ficaram mais altos.

—Olha lá! É uma garota. Ela está fugindo!

—Pega ela, rápido!

A luz vermelha se derramou sobre ela, e a inundação se aproximava.

—O chefe vai nos mandar embora se deixarmos uma criatura escapar desta viagem!

Mary fez uma pausa no último lance da escada e olhou para trás. As janelas do trem formavam quadrados dourados, e os rostos que olhavam através deles estavam entediados, cadavéricos, impessoais. Só os maquinistas saltavam das escadas do trem em direção a ela, seus rostos iluminados pelo neon vermelho da porta de entrada, suas lanternas oscilantes flamejavam, esfumaçavam.

Um grito entalou em sua garganta. Ela se virou para terminar de subir a escada escura, os degraus íngremes que restavam. Uma teia de aranha fisgou sua bochecha, mas ela continuou correndo, tropeçando, raspando os dedos nas paredes de pedra áspera. Pequena e ágil, uma cobra se lançou da rachadura de um dos degraus. Ela sentiu a espiral gélida na altura do tornozelo, mas continuou correndo.

Os gritos dos maquinistas enfim começaram a desaparecer, calando-se à distância, então ela ouviu que fora dada a partida no trem, que retumbava no núcleo petrificado da terra com um ruído semelhante ao de um trovão submerso. Então ela parou de correr.

Escorou-se na parede manchada de fuligem, ofegante como um animal perseguido, e tentou engolir o gosto metálico escorregadio que sentia na boca. Ela estava livre.

Recomeçou a caminhada penosa pela escada escura e, conforme subia, os degraus se tornavam mais largos e mais macios, e a atmosfera se rarefez, perdendo a densidade. Aos poucos, o caminho se abriu e o som se aproximava de um lugar distante, sinos badalando num relógio de torre, definido e musical. Como um elo de metal, a pequena cobra se desprendeu de seu tornozelo e deslizou para dentro da parede.

Ao fazer a última curva da escada, a luz natural do sol resplandeceu em toda sua magnitude, e sentiu mais uma vez o cheiro já esquecido do ar fresco, da terra, e de grama recém-cortada. Logo à frente, uma porta arqueada e aberta para um parque urbano.

Mary despontou no topo da escada e entreviu as fecundas teias de ouro da luz do sol. Do chão, pombos branco-azulados levantavam voo e sobrevoavam sua cabeça, então ouviu risos de crianças brincando entre os arbustos. Por toda parte, ao redor do parque, os cumes da cidade erguiam-se em pináculos de granito branco, suas janelas de vidro reluziam ao sol.

Como se despertasse do sono da morte, ela caminhou ao longo da trilha de cascalhos que cintilava pela mica das pedrinhas. Era primavera e havia uma mulher vendendo flores na esquina, cantando para si mesma. Mary notou as caixas repletas de flores brancas e narcisos enlaçados em folhas verdes, e a mulher de casaco marrom, feito mãe, curvava-se sobre o mostruário.

Quando Mary se aproximou, a mulher levantou a cabeça e seu olhar encontrou os olhos de Mary com o azul de um amor triunfante e disse:

—Eu estava esperando por você, querida.

Sylvia Plath (1932–1963), uma das poetas mais aclamadas do século XX, nasceu em Boston, Massachusetts, e cursou a Smith College, uma faculdade de artes para mulheres em Northampton. Em 1955, entrou na Universidade de Cambridge pelo Programa Fulbright de bolsas de estudo e lá conheceu Ted Hughes, com quem se casou. Publicou um único livro de poemas em vida, *The Colossus* (1960), e um romance, *A redoma de vidro* (1963), lançado no Brasil pela Biblioteca Azul. Sylvia Plath ganhou o Prêmio Pulitzer de poesia em 1982. Dela, a Biblioteca Azul também publicou *Desenhos* e *Os diários de Sylvia Plath (1950–1962)*.

NOTA BIOGRÁFICA

00047

Este livro, composto
na fonte Sectra,
foi impresso em
papel offset 150 g/m²,
na Geográfica,
Santo André, Brasil,
julho de 2019.

00048